La Première Guerre mondiale

Textes de **Jean-Michel Billioud**

Illustrations de **Cyrille Meyer**

SOMMAIRE

La Première Guerre mondiale, c'est quoi ?

C'est un conflit militaire d'une violence incroyable qui a eu lieu de 1914 à 1918. Surnommée la Grande Guerre, elle s'est déroulée en Europe, et sur une petite partie de l'Asie et de l'Afrique.

Pourquoi dit-on que c'est une guerre mondiale ?

Parce que de nombreux pays s'y sont engagés. Ils forment deux camps. D'un côté, l'Allemagne et l'Autriche-Hongrie, rejointes par la Turquie (novembre 1914) et la Bulgarie (1915). De l'autre, la France, la Russie, la Serbie, la Belgique et la Grande-Bretagne, alliées au Japon (1914), à l'Italie (1915), à la Roumanie et au Portugal (1916), aux États-Unis, à la Grèce, à la Chine et à plusieurs pays sud-américains (1917).

Pourquoi cette guerre est-elle différente des précédentes ?

Aucune guerre n'avait jusque-là opposé des dizaines de millions de soldats de différents pays et n'avait été aussi meurtrière. Aucun conflit n'avait entraîné autant de destructions. Aucun n'avait eu autant de conséquences politiques.

La Société des Nations à Genève.

Qu'est-ce qui a changé après la guerre ?

La Grande Guerre a entraîné la disparition ou la division des Empires austro-hongrois, russe et ottoman. De nouveaux pays apparaissent. Une institution internationale est créée pour empêcher d'autres guerres : la Société des Nations.

4   LE SAIS-TU ?   Plus de 500 000 pigeons voyageurs ont été utilisés pendant le conflit pour transmettre des messages secrets.

LES GRANDES DATES

Le 28 juin 1914, l'assassinat de l'archiduc d'Autriche-Hongrie à Sarajevo met le feu aux poudres.

GUERRE DE MOUVEMENT
(août – nov. 1914)

GUERRE DE POSITION
(nov. 1914 – fév. 1918)

1914

juillet – août 1914
Le conflit se généralise avec **l'enchaînement des alliances. Les Allemands envahissent la Belgique** et pénètrent en France en août.

1915

6 septembre 1914
La première bataille de la Marne, qui dure quatre jours, est remportée par les Français. Elle arrête la progression des troupes allemandes.

23 mai 1915
Initialement membre de la Triple-Alliance, **l'Italie fait volteface** et déclare la guerre à l'Autriche-Hongrie.

1916

février – décembre 1916
Les Allemands lancent une terrible offensive pour s'emparer de **la forteresse de Verdun** et « saigner à blanc » l'armée française. Cette bataille d'usure va durer dix mois.

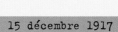

juillet – août 1914

1917

6 avril 1917
Les États-Unis déclarent la guerre à l'Allemagne et débarquent en Europe en juin.

avril – octobre 1917
La terrible **bataille du Chemin des Dames** fait des milliers de morts côtés allemand et français. C'est le début des mutineries (révoltes) dans les troupes françaises découragées.

février – décembre 1916

15 décembre 1917
Menacés par la guerre civile, **les Russes signent un armistice** séparé avec les Allemands et les Autrichiens à Brest-Litovsk (Biélorussie).

1918

GUERRE DE MOUVEMENT
(mars 1918 – nov. 1918)

21 mars 1918
Les Allemands lancent une **vaste série d'attaques** jusqu'en juillet, parfois victorieuses mais jamais décisives.

11 novembre 1918
L'armistice est signé : c'est **la fin des combats** de la Première Guerre mondiale. En juin 1919, l'Allemagne et les Alliés signent un traité de paix.

11 novembre 1918

Pourquoi la guerre a-t-elle éclaté ?

Les origines du conflit sont multiples. Pendant l'été 1914, les pays alliés sont entraînés dans la guerre à la suite d'un attentat dans les Balkans, mais surtout à cause de leurs nombreuses rivalités.

Quel événement a déclenché la guerre ?

En visite à Sarajevo le 28 juin 1914, l'archiduc François-Ferdinand, héritier du trône d'Autriche-Hongrie, et sa femme sont assassinés par un nationaliste serbe. Le 28 juillet, l'Autriche-Hongrie déclare la guerre à la Serbie, qu'elle accuse à tort d'être responsable de l'assassinat. L'attentat est l'étincelle qui va embraser l'Europe.

INCROYABLE !

Le pacifiste français Jean Jaurès est assassiné le 31 juillet 1914. Mais l'opinion est si favorable à la guerre que le meurtrier sera acquitté lors de son procès en 1919 !

Pourquoi les pays européens sont-ils entrés en guerre aussi vite ?

Parce qu'ils sont tous liés les uns aux autres. Pour se protéger des attaques ennemies, ils avaient formé deux systèmes d'alliance. La Triple-Alliance qui regroupe l'Italie, l'Allemagne et l'Autriche-Hongrie. Et la Triple-Entente, alliée de la Serbie, qui réunit la France, la Grande-Bretagne et la Russie. Si l'un de ces pays est attaqué, les autres s'engagent à le défendre.

Pourquoi ces pays sont-ils rivaux ?

La haine entre la France et l'Allemagne est forte depuis l'annexion de l'Alsace-Lorraine en 1871 et s'est accentuée, car ces deux puissances cherchent toutes deux à coloniser l'Afrique. L'Autriche-Hongrie et la Russie s'opposent pour dominer la région des Balkans, dans le sud-est de l'Europe.

L'EUROPE EN AOÛT 1914

NORVÈGE

SUÈDE

Moscou •

DANEMARK

Mer du Nord

ROYAUME-UNI
DE GRANDE-BRETAGNE
ET D'IRLANDE

RUSSIE

Londres •

PAYS-BAS

• Berlin

BELGIQUE

ALLEMAGNE

Paris •

Océan Atlantique

FRANCE

SUISSE

• Vienne

AUTRICHE-HONGRIE

PORTUGAL

Mer Noire

ROUMANIE

ITALIE

Sarajevo •

SERBIE

ESPAGNE

MONTÉNÉGRO

BULGARIE

• Rome

ALBANIE

Mer Méditerranée

GRÈCE

EMPIRE
OTTOMAN

AFRIQUE DU NORD
FRANÇAISE

Mer Méditerranée

Pays de la Triple-Entente

Pays alliés
de la Triple-Entente

Pays de la Triple-Alliance

Pays alliés
de la Triple-Alliance

Pays neutres

LIBYE ITALIENNE

ÉGYPTE
BRITANNIQUE

Qui part sur les champs de bataille en 1914 ?

Des millions de soldats sont mobilisés par les pays qui se sont engagés dans la guerre. Certains ont déjà fait leur service militaire, d'autres découvrent les uniformes et le fonctionnement des armes.

INCROYABLE !

Pendant la guerre, des peintres cubistes français ont été mobilisés pour fabriquer des décors de camouflage des troupes.

Que pensent les soldats de la guerre ?

Des deux côtés, la majorité d'entre eux est angoissée par les combats qui s'annoncent. Mais ils sont aussi fiers de défendre leur pays et persuadés de lutter pour une cause juste. Déterminés et confiants, ils s'imaginent que la guerre ne va durer que quelques semaines et qu'ils rentreront victorieux dans leur famille.

Combien de soldats sont mobilisés ?

En France, l'armée compte 800 000 militaires de carrière. Avec les hommes mobilisés, elle atteint 3 millions et demi de soldats. C'est seulement un peu moins que l'Allemagne, qui est pourtant deux fois plus peuplée. En Grande-Bretagne, l'armée fait appel aux volontaires et 2 millions de jeunes soldats sont recrutés ! Certains de ces soldats viennent des colonies françaises et britanniques.

Quelle est l'armée la plus forte ?

Les troupes de la Triple-Alliance sont mieux préparées au combat et disposent de plus de canons et de mitrailleuses. Du côté de la Triple-Entente, les Russes sont mal équipés et mal encadrés, les Britanniques n'ont pas de service militaire obligatoire et l'armée française ne s'est pas assez modernisée...

LE GRAND DÉPART

Dans les gares, les trains se succèdent pour emmener les soldats vers les casernes les plus proches du front.

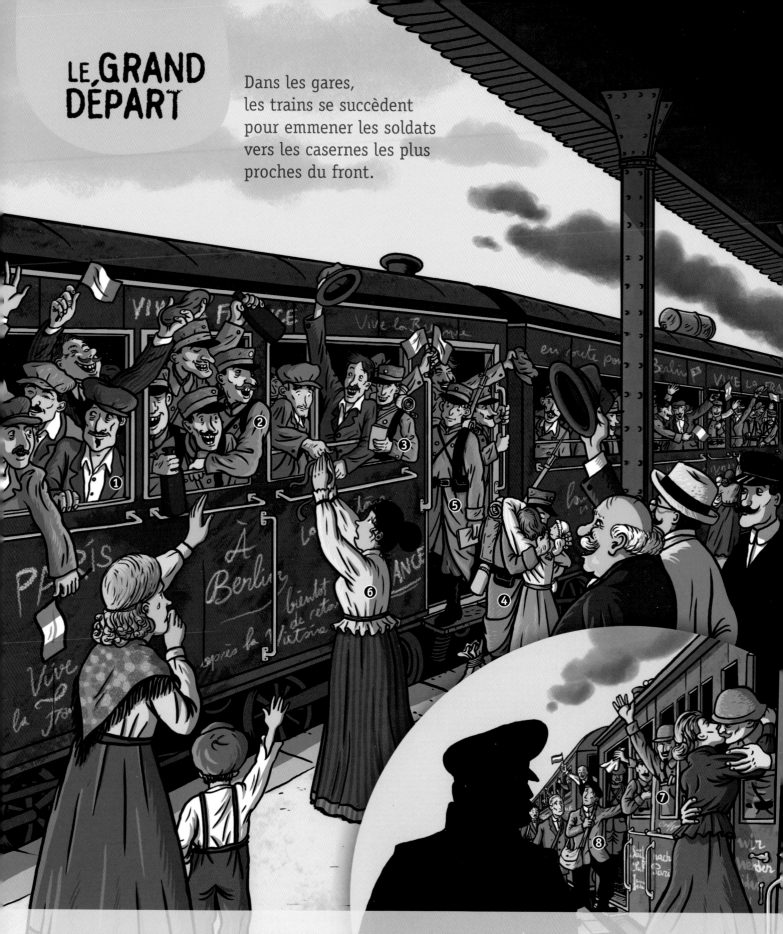

❶ En pleine moisson, **Victor** a entendu l'annonce de la mobilisation par le clairon ou le tocsin.

❷ **André** a déjà fait son service militaire. Il retrouve ses anciens camarades de régiment. Ils fêtent ces retrouvailles en buvant des bouteilles de vin et en chantant la *Marseillaise*.

❸ Chaque soldat a un livret militaire et une feuille rose sur laquelle est écrit le lieu où il doit se rendre le plus vite possible.

❹ **Nicolas** est triste de quitter sa femme Geneviève : ils viennent juste d'avoir un bébé.

❺ Certains soldats portent déjà l'uniforme et le pantalon rouge qui sera vite abandonné, car trop visible pour l'artillerie ennemie.

❻ Une mère de famille accompagne son fils aîné jusqu'au wagon : elle profite de ce moment, car elle ne sait pas quand elle le reverra.

❼ En Allemagne, on part également pour le front.

❽ Les Alsaciens rejoignent l'armée allemande, puisque l'Alsace a été annexée par l'Empire allemand en 1871. Ils ont reçu un ordre de mobilisation en français.

Que se passe-t-il au début de la guerre ?

Le 2 août 1914, les Allemands pénètrent sans grande difficulté au Luxembourg et en Belgique. Un mois plus tard, leurs troupes sont à moins de 50 kilomètres de Paris ! C'est ce qu'on appelle la « guerre de mouvement ».

INCROYABLE !

Pour conduire des troupes supplémentaires sur le front lors de la première bataille de la Marne, 600 taxis parisiens sont réquisitionnés.

Que font les Français ?

De nombreux civils des régions envahies s'enfuient vers le sud devant l'avancée des troupes allemandes. À la fin du mois d'août, 500 000 Parisiens ont quitté la capitale, défendue par le général Gallieni. Le gouvernement rejoint Bordeaux dès septembre pour organiser la défense.

La France est-elle entièrement envahie ?

Non. Les Allemands bifurquent vers la Champagne et envoient des troupes pour renforcer le front russe. Du coup, ils n'ont plus assez de soldats. Menés par Joffre, les Français les repoussent lors de la première bataille de la Marne entre le 6 et le 9 septembre 1914.

La maréchal Joffre et son état-major.

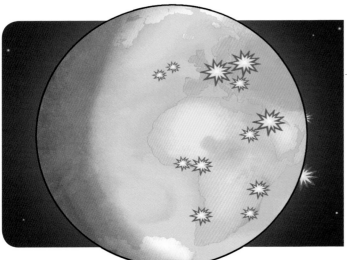

Les combats ont-ils tous lieu en France ?

Pas du tout. Sur le front de l'Est, les Allemands se battent contre les Russes, et dans les Balkans, les Serbes affrontent les Autrichiens. Après avoir rejoint la Triple-Alliance, les Turcs bombardent les côtes russes de la mer Noire. En Asie, le Japon occupe les possessions allemandes en Chine.

LA GUERRE DE MOUVEMENT
AOÛT - NOVEMBRE 1914

Préparé avant la guerre par le général Schlieffen, le plan d'invasion de la France par les Allemands fonctionne à merveille pendant plus d'un mois avant que la résistance ne s'organise.

 Pays-Bas
Belgique
Allemagne
France

L'exode

1 — 4 AOÛT
L'Allemagne commence à envahir la Belgique, pays neutre, et le nord de la France.

2 — 23 AOÛT
Vaincus à Charleroi, les Français battent en retraite devant les Allemands qui menacent Paris.

La grosse Bertha

Les taxis de la Marne

3 — 6-9 SEPTEMBRE
Des soldats sont emmenés jusqu'au front en taxi : les Français remportent la première bataille de la Marne.

4 — 10 OCTOBRE - 10 NOVEMBRE
Chacun des deux camps essaie de contourner l'adversaire par l'ouest jusqu'aux côtes de la mer du Nord. Dès novembre 1914, la guerre de mouvement s'arrête : les deux armées sont face à face de la mer du Nord aux Vosges, sur 750 kilomètres.

Les armées face à face

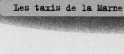

Qu'est-ce que la « guerre des tranchées » ?

Comme les soldats ne parviennent plus à avancer, ils s'installent dans des zones abritées ou creusent des tranchées pour se protéger. On passe de la « guerre de mouvement » à la « guerre de position ».

Comment se forment les tranchées ?

Creusées dans la panique pour se protéger des tirs ennemis, les premières tranchées sont des abris temporaires qui ont progressivement été reliés les uns aux autres. Puis, au fil des semaines, des réseaux de tranchées s'organisent et sont consolidés.

Les tranchées sont-elles toutes pareilles ?

Non. Les tranchées allemandes sont mieux aménagées et forment parfois de véritables réseaux souterrains en béton. Certaines ont même de l'électricité et du chauffage. Les troupes françaises, elles, s'imaginent que ces lieux ne sont que provisoires. Mais dans les deux camps, les tranchées ne sont jamais rectilignes pour éviter les tirs en enfilade.

Pourquoi les soldats français sont-ils surnommés « les Poilus » ?

Ce surnom leur est donné, car beaucoup se laissent pousser la barbe quand ils sont dans les tranchées. Mais aussi parce que le poil est un symbole de virilité et de courage. Les soldats des autres pays ont aussi un diminutif affectueux : les Michel's allemands, les Tommies anglais, les Sammies américains ou les Diggers australiens.

12   LE SAIS-TU ?   Les Poilus ont inventé des mots comme « barbaque » pour la viande ou « pinard » pour le vin.

LA VIE DANS LES TRANCHÉES

Pendant plus de trois années (novembre 1914-mars 1918), des soldats vivent dans des tranchées inconfortables. Durant cette période, aucune armée ne parvient à prendre le dessus.

❶ Des fils de fer barbelés sont déployés, auxquels se heurtent les assaillants.

❷ En première ligne, les soldats sont en contact direct avec les ennemis. Leur mission est essentiellement de faire le guet.

❸ Très dangereuse, la relève se fait de nuit. Un soldat en première ligne est généralement remplacé au bout de quatre à sept jours.

❹ Préparé dans des « roulantes », sorte de cuisinière mobile de l'arrière du front, les repas sont composés de rations chaudes, de café et de vin. Mais la nourriture arrive souvent froide ou pleine de boue.

❺ Quand le ravitaillement est impossible, les Poilus se nourrissent avec leur ration de combat : biscuits, conserve de bœuf en gelée et chocolat.

❻ Dans les tranchées intermédiaires, les Poilus ont le temps de fabriquer de petites cabanes, les cagnas, et de se reposer.

❼ Les tranchées sont froides, sales et les rats y pullulent.

❽ Quand ils ne sont pas dans les tranchées, les Poilus se reposent à l'arrière du front dans des cantonnements en bois.

❾ Ils lavent leur linge, se lavent, jouent aux cartes, fabriquent des objets, lisent ou écrivent à leur famille.

Quelle est la plus terrible bataille de 1914-1918 ?

C'est Verdun. Pendant dix mois, de février à décembre 1916, les Allemands attaquent sans relâche cette place forte dont la position est stratégique. Ils veulent s'emparer de la ville pour rompre le front français.

Comment se passent les combats ?

C'est une horreur pendant 300 jours. 26 millions d'obus sont tirés par les artilleries dans les deux camps, soit 6 obus au mètre carré. Les soldats vivent un enfer, se cachent dans des trous d'obus, souffrent de la faim et de la soif. Lorsque la bataille s'achève, les Allemands comptent 140 000 morts, et les Français 160 000. Les deux camps dénombrent au total plus de 400 000 blessés.

INCROYABLE !

Le premier jour de la bataille de Verdun, les Allemands ont tiré un million d'obus.

Qui gagne cette bataille ?

La bataille de Verdun est une défaite pour l'armée allemande qui n'a pas réussi à prendre le fort qu'elle convoitait. Mais il y a tellement de morts de part et d'autre que c'est plutôt un drame humain pour les deux camps qu'une victoire pour l'un d'entre eux.

Pourquoi la bataille de Verdun est-elle aussi célèbre en France ?

Parce que les Français ont résisté aux assauts allemands, mais aussi parce que la majorité des Poilus en ont gardé un souvenir personnel. En effet, le général Pétain qui dirige les troupes a mis en place un système de relève permanent pour que les soldats ne perdent pas courage : du coup, les trois quarts des combattants de 1916 ont participé à cette bataille !

LES SOIGNANTS
DE LA GRANDE GUERRE

Les soldats blessés sont pris en charge par le service de santé des armées, qui les évacue vers des hôpitaux de l'arrière. Quand il n'est pas trop tard...

Édouard
C'est le chirurgien-chef. Il intervient en urgence sur les blessés les plus graves dans un lycée transformé en hôpital de fortune.

Paul
Blessé au visage, il a été sauvé par l'un de ses camarades qui l'a porté sur son dos. Dès qu'il sera soigné, il veut repartir sur le front.

Madeleine
Infirmière, elle s'est engagée dans la Croix-Rouge dès le début de la guerre.

Albert
Brancardier, il va chercher les soldats la nuit, car c'est moins dangereux. Il les place sur des brouettes porte-brancards et les ramène aux postes de secours des premières lignes. Ils y sont soignés ou évacués vers des hôpitaux.

Armand
Il n'a pas encore fini ses études de médecine, mais il opère jour et nuit, car les blessés affluent en grand nombre.

Eugène
Ambulancier, il conduit les blessés des hôpitaux proches du front vers ceux de l'arrière.

Que font ceux qui ne sont pas au front ?

À l'arrière, la vie continue malgré l'absence des soldats : pères, frères, fils, maris ou fiancés. Mais elle est souvent difficile, surtout dans les régions bombardées ou occupées par l'ennemi.

Les gens sont-ils informés de ce qui se passe au front ?

Pas vraiment. Le gouvernement empêche la presse de diffuser les nouvelles négatives, comme les défaites des premières semaines ou le désespoir des soldats. C'est la censure. Dans le même temps, de nombreux journaux embellissent la réalité, exagèrent les victoires ou les inventent parfois pour rassurer les populations. C'est la propagande.

Que disent les soldats à leur famille ?

Ils communiquent le plus souvent par courrier, mais il leur est interdit de donner des indications précises qui peuvent être lues par des espions, ou de donner de trop mauvaises nouvelles. De toute manière, la plupart ne veulent pas inquiéter leur famille et leurs amis de l'arrière.

INCROYABLE !

Les articles censurés dans les journaux étaient remplacés par des carrés de couleur blanche.

Que font les femmes à l'arrière ?

Elles jouent un rôle essentiel. Dès l'été 1914, elles remplacent les hommes pour les moissons et les travaux agricoles. Puis à partir de 1915, beaucoup sont engagées dans les usines ou deviennent postières ou enseignantes. D'autres participent directement au conflit en aidant comme infirmières les médecins sur les champs de bataille.

À L'ARRIÈRE

Même loin des tranchées, le conflit mondial est présent dans la vie de chacun : tout le monde est concerné d'une manière ou d'une autre.

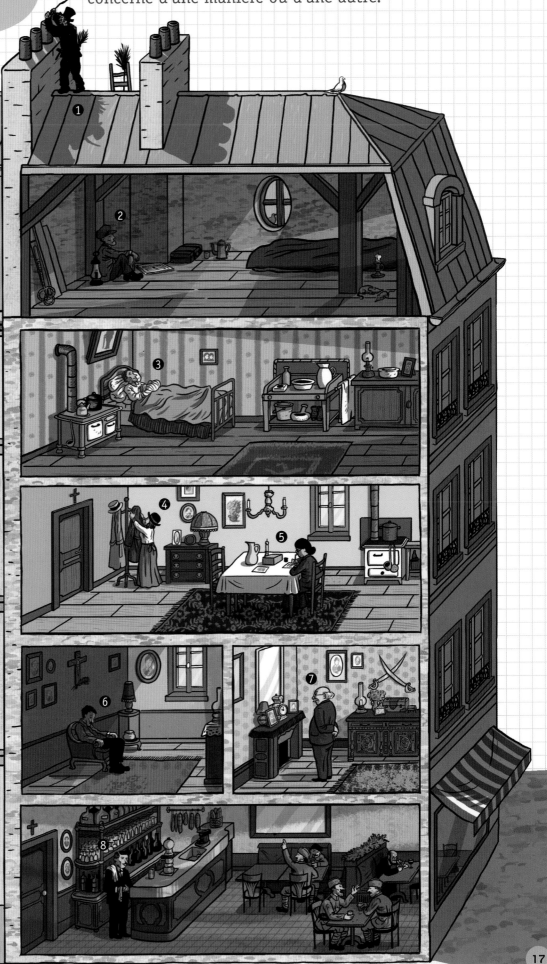

❶ Théo a 16 ans. Il a arrêté l'école pour remplacer son père mobilisé qui travaillait comme ramoneur. Il fait vivre sa maman et sa sœur Lucile.

❷ Simon est un pacifiste. Il refuse de combattre, mais il doit se cacher, car il risque la prison si les gendarmes le trouvent.

❸ Corentin a si peur de la guerre qu'il s'est blessé volontairement à la main avec son pistolet. Il a honte de son acte, mais il ne veut pas retourner dans les tranchées.

❹ Mathilde est une « munitionnette » : elle travaille dans une usine qui fabrique des armes.

❺ Pauline est marraine de guerre. Elle écrit régulièrement à Virgile, un soldat sans famille, et lui envoie des colis.

❻ Tanguy a passé quinze jours à Verdun. Très choqué, il ne veut parler à personne. Il pense que « les gens de l'arrière » ne peuvent pas comprendre l'enfer du front.

❼ Cyprien a fait la guerre de 1870 contre les Prussiens. Il est heureux que son fils Jean et son petit-fils Baptiste se battent comme lui pour la patrie.

❽ Raymond n'aime pas beaucoup que les Poilus viennent dans son restaurant : ils se plaignent toujours alors que, selon lui, ils passent leur temps à dormir dans les tranchées.

En quelle année bascule la guerre ?

L'année 1917 est décisive : les États-Unis interviennent en Europe et la Russie révolutionnaire signe un armistice avec l'Allemagne. Les rapports de force se modifient.

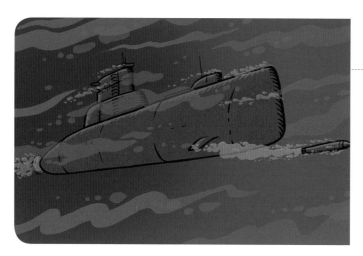

Pour quelle raison les Américains entrent-ils en guerre ?

Parce que les Allemands ont entrepris une guerre sous-marine : ils coulent les bateaux alliés, et aussi ceux des Américains. Les États-Unis entrent en guerre le 6 avril 1917 mais les premières troupes américaines, commandées par le général Pershing, ne débarquent en France qu'au mois de juin.

Est-ce que leur participation est importante ?

Bien sûr. Entre avril 1917 et mai 1918, 2 millions de soldats américains entraînés et bien équipés viennent combattre en Europe dans les tranchées aux côtés des Français, des Britanniques et de leurs alliés. Environ 10 % vont laisser leur vie sur les champs de bataille.

INCROYABLE !

Les soldats américains sont acclamés par la foule lorsqu'ils quittent New York pour combattre en Europe.

Que se passe-t-il à l'Est ?

Les révolutionnaires russes prennent le pouvoir à Petrograd (aujourd'hui Saint-Pétersbourg). C'est la révolution d'Octobre. Très vite, ils négocient un armistice avec l'Allemagne pour concentrer leurs forces dans la guerre civile qui enflamme le pays. La France perd un allié de poids et l'Allemagne peut concentrer ses forces sur le front Ouest.

1917, ANNÉE
CHARNIÈRE

15 mars

Le tsar de Russie Nicolas II abdique en faveur de son frère Michel, mais celui-ci refuse de monter sur le trône. C'est la fin de la dynastie des Romanov en Russie. Un gouvernement provisoire se met en place.

6 avril

Après être restés neutres pendant trois ans, les Américains entrent en guerre aux côtés des Alliés. Leur armée formée alors de 200 000 soldats en comptera 4 millions en novembre 1918.

16 avril

Le général français Nivelle attaque les Allemands entre Soissons et Reims. La bataille du Chemin des Dames est un échec sanglant.

avril - juin

avril - juin

Des mutineries gagnent toutes les armées le long du front : plusieurs régiments refusent de combattre et manifestent pour la paix. Quelques mutins sont fusillés.

juin

Les premières troupes américaines débarquent à Boulogne-sur-Mer, à Bordeaux et à Saint-Nazaire. 50 000 soldats venus des États-Unis y laisseront leur vie.

16 avril

7 novembre

Lénine et les bolcheviks s'emparent du pouvoir en Russie. Nous sommes le 25 octobre dans le calendrier russe. Le gouvernement s'appelle désormais le conseil des commissaires du peuple.

14 novembre

Nouveau chef du gouvernement français, Georges Clemenceau gagne une grande popularité en allant sur le front remonter le moral des troupes.

7 novembre

Comment les soldats supportent-ils **cette épreuve** ?

Les soldats qui pensaient que la victoire serait rapide commencent à se décourager. Ils ont l'impression que leurs officiers ne sont pas compétents et que des millions de soldats sont morts pour rien.

Quelle est l'attitude de la majorité des soldats ?

Ils vivent cet enfer avec beaucoup de courage. Ceux qui ne perdent pas la vie ou ne sont pas blessés sont témoins de scènes horribles, perdent leurs amis, mais la grande majorité accepte ce sacrifice incroyable.

Certains soldats français refusent-ils la guerre ?

Oui. Ils sont épuisés par les combats et surtout les attaques meurtrières mais inutiles : l'offensive du Chemin des Dames (dans l'Aisne) coûte la vie à 300 000 soldats en un mois sans aucune avancée. Certains d'entre eux se mutinent, c'est-à-dire qu'ils refusent de combattre. Mais leur nombre est très limité : une cinquantaine de Poilus seulement sont fusillés pour désobéissance.

INCROYABLE !

Au moment de Noël 1914, quelques soldats allemands et alliés échangent de petits cadeaux... mais ces gestes de fraternisation sont rarissimes.

Que font les soldats des autres armées ?

Des mutineries de formes très diverses ont aussi lieu dans les troupes allemandes, britanniques ou australiennes. Certains refusent de marcher ou de monter au front. D'autres contestent la discipline ou signent des pétitions contre la guerre. Dans l'armée russe, la rébellion est plus importante : 3 millions de soldats désertent en 1917 !

  Sur les 554 Poilus condamnés à mort pour mutinerie dans l'armée française, 49 ont été exécutés.

UNE FAMILLE MEURTRIE PAR LA GUERRE

Joseph a été mobilisé dès le mois d'août 1914. Comme ses deux frères, Jacques et Gabriel, il est heureux de défendre sa patrie. Il connaît bien le fonctionnement des armes, car il vient de finir son service militaire de deux ans !

Pendant plusieurs semaines, il reste dans un camp à une centaine de kilomètres du front. Il joue aux cartes et ses amis fabriquent de petits objets pour s'occuper.

Son régiment est enfin appelé sur le front. Il est envoyé en première ligne et voit plusieurs de ses amis tomber sous les balles ennemies.

Joseph obtient sa première permission. Il rentre en train chez lui et retrouve ses parents. Ils sont inquiets, car ils n'ont pas de nouvelles de Gabriel et de Jacques.

Les lettres de ses parents et de sa fiancée, Jeanne, sont ses seuls réconforts dans cette guerre horrible, qui ne ressemble pas du tout à celle qu'il avait imaginée.

Joseph apprend que ses deux frères sont morts au combat. C'est terrible. L'un avait 18 ans et l'autre 20 ans à peine.

Il retourne sur le front où il est responsable d'un canon. Grâce à une équipe d'artilleurs qui se relaie, on tire jour et nuit des centaines d'obus sur les tranchées ennemies.

Pourquoi dit-on que c'est une guerre totale ?

Parce que la guerre mobilise toutes les ressources des pays, tant au front qu'à l'arrière. Elle appelle tous les hommes au combat, mais elle exige aussi des efforts économiques ou financiers.

POUR LA FRANCE
VERSEZ VOTRE OR

L'Or Combat Pour La Victoire

Les habitants de chaque pays sont-ils concernés ?

Oui, mais ceux des pays européens. En plus des combattants sur les champs de bataille, les ouvriers, les employés, les fonctionnaires, les paysans, les femmes sont tous sollicités pour aider leur pays. Les gouvernements allemand en 1914 et français en 1915 ont ainsi recours à un grand emprunt auprès des populations pour financer la guerre.

INCROYABLE !

Les Français mobilisables qui vivaient à l'étranger ont dû rejoindre la France dès le début de la guerre sous peine d'être considérés comme déserteurs.

Les populations souffrent-elles de la guerre ?

Beaucoup. La vie économique est arrêtée, les familles souffrent de l'absence ou de la perte des soldats. Et pour la première fois de l'histoire, des civils sont victimes de bombardements : les bombes sont même larguées par avion ou ballon dirigeable.

200 000 soldats africains ont combattu avec l'armée française.

Pourquoi dit-on que c'est une guerre mondiale ?

Parce qu'il y a de nombreux pays engagés dans le conflit, mais aussi parce que les combats se déroulent dans plusieurs endroits du globe, de l'Europe à l'Asie en passant par l'Afrique. La guerre est aussi mondiale car les soldats viennent de tous les continents, y compris des empires coloniaux. Tout le monde participe à l'effort de guerre.

LES GRANDES BATAILLES DE LA GUERRE

NORVÈGE

SUÈDE

DANEMARK

Mer du Nord

ROYAUME-UNI DE GRANDE-BRETAGNE ET D'IRLANDE

Londres •

PAYS-BAS

BELGIQUE

Paris •

FRANCE

• Berlin

ALLEMAGNE

SUISSE

• Vienne

AUTRICHE-HONGRIE

Moscou •

RUSSIE

ITALIE

Rome •

Sarajevo •

MONTÉNÉGRO

SERBIE

ALBANIE

GRÈCE

ROUMANIE

Mer Noire

BULGARIE

EMPIRE OTTOMAN

Mer Méditerranée

PORTUGAL

ESPAGNE

AFRIQUE DU NORD FRANÇAISE

LIBYE ITALIENNE

ÉGYPTE BRITANNIQUE

1 La bataille de Tannenberg
26 - 29 août 1914

Victoire décisive des Allemands de Hindenburg sur la IIe armée russe. S'estimant responsable de cette débâcle, le général Samsonov se suicida.

2 La bataille de la Marne
6 - 9 septembre 1914

Les troupes françaises stoppent l'avancée allemande à quelques dizaines de kilomètres de Paris. C'est la fin de la guerre de mouvement.

3 La bataille des Dardanelles
février 1915 - janvier 1916

Les Anglais et les Français veulent s'emparer du détroit des Dardanelles. Les Turcs résistent. C'est un échec.

4 La bataille de Verdun
21 février - 18 décembre 1916

Déclenchée par l'état-major allemand, cette bataille a pour but d'user et de « saigner à blanc » l'armée française. On compte jusqu'à 3 000 morts par jour !

5 La bataille de la Somme
juillet - novembre 1916

Pendant cinq mois, 3 millions de soldats participent à cette bataille. Bilan : une avancée de seulement 8 kilomètres en faveur des Alliés !

6 Le Chemin des Dames
avril - octobre 1917

L'offensive française ne parvient pas à percer les lignes allemandes.

7 La bataille de Caporetto
octobre - novembre 1917

Face aux forces austro-allemandes, les Italiens subissent une lourde défaite.

8 La dernière chance allemande
mars - juillet 1918

Les Allemands cherchent à rompre le front des Alliés en Picardie, puis en Champagne, avant l'arrivée des troupes américaines.

Pays de la Triple-Entente
Pays alliés de la Triple-Entente
Pays de la Triple-Alliance
Pays alliés de la Triple-Alliance
Pays neutres

Quelles sont les nouveautés militaires de la guerre ?

Si la guerre de 1914-1918 a été si meurtrière, c'est parce qu'elle a été longue et a mobilisé des millions de soldats. Mais c'est aussi parce que les armes se sont modernisées.

Quelles sont les nouvelles techniques de combat ?

Le sort des batailles ne dépend plus des attaques au corps-à-corps, mais de la puissance de feu des troupes. Pour la première fois, des combats se déroulent sous les océans avec les sous-marins et dans les airs avec les avions.

INCROYABLE !

Certains pilotes deviennent des héros ! Ainsi, l'Allemand Manfred von Richthofen abat 80 avions et doit à son tableau de chasse le surnom de « Baron rouge ».

Qui domine les mers ?

La marine britannique. Mais les Allemands la mettent en danger avec leurs sous-marins, les U-Boots. En 1915, ils torpillent le paquebot britannique *Lusitania* et causent la mort de 1 198 personnes. Deux ans plus tard, en avril 1917, ils coulent 395 navires. Ces attaques accélèrent l'entrée en guerre des États-Unis aux côtés des Alliés.

Toutes ces nouvelles armes coûtent-elles cher ?

Très cher. L'économie des pays est presque entièrement tournée vers ce conflit, première guerre industrielle de l'histoire. Il faut en effet produire en grand nombre des armes efficaces. De 1914 à 1918, 51 000 avions et 3 800 chars sortent des usines françaises !

DES ARMES NOUVELLES

La guerre dans les tranchées entraîne la mise au point de nouvelles armes.

L'artillerie lourde

Dès 1914, les Allemands et les Autrichiens possèdent de gros canons mobiles. Les Français entrent en guerre avec près de 4 000 canons 75 mm modèle 1897, plus petits mais très performants. Les canons de Bange sont aussi utilisés, mais ils sont moins efficaces.

Les chars blindés

Les chars d'assaut anglais Mark I sont les premiers à entrer en action en septembre 1916 durant la bataille de la Somme. Ils sèment la terreur mais tombent trop facilement en panne. Les blindés ne seront véritablement efficaces qu'en 1918.

Char Renault FT-17, français.

Canon de Bange, français.

L'aviation

Au début de la guerre, les dirigeables et les avions ne servent qu'à espionner les mouvements des ennemis. Au bout de quelques mois, les pilotes s'affrontent dans des combats aériens, puis effectuent des bombardements.

Chasseur Sopwith Camel, britannique.

Les armes chimiques

Les Allemands utilisent pour la première fois des gaz mortels à base de chlore à partir du mois d'avril 1915 lors de la bataille d'Ypres (Belgique). Le gaz asphyxiant est contenu dans des obus, des bombes ou des grenades.

Les lance-flammes

Les Allemands sont les premiers à les utiliser en 1915, avant les Français et les Britanniques. Mais cette arme sera peu employée, car les lance-flammes sont encombrants et difficiles d'utilisation.

Soldat français portant un masque à gaz.

Soldat allemand avec un lance-flammes.

Comment se termine
le conflit mondial ?

L'Allemagne lance une grande offensive au printemps 1918, mais les Alliés résistent. L'arrivée d'un million de soldats américains et de centaines de chars oblige les Allemands à renoncer.

L'armistice est signé dans le wagon du maréchal Foch, le chef des armées alliées.

Que signifie le mot « armistice » ?

Signé par tous les pays combattants, c'est un accord qui met fin à la guerre engagée cinquante-deux mois plus tôt. Le message suivant est envoyé aux troupes sur les champs de bataille : « Les hostilités seront arrêtées sur tout le front à partir du 11 novembre à 11 heures, heure française. »

Pourquoi les Allemands demandent l'armistice ?

L'Allemagne connaît une révolution à l'intérieur de ses frontières. L'empereur doit renoncer au pouvoir le 9 novembre et la République allemande est proclamée. Malgré l'opposition des militaires, les nouveaux dirigeants demandent l'arrêt des combats.

Proclamation de la République allemande.

Les Allemands et leurs alliés ont perdu !

Que deviennent les alliés des Allemands ?

Comme l'Allemagne, ils n'ont pas pu résister aux offensives de l'été 1918 et ont demandé aux Alliés des armistices. Les premiers sont les Bulgares, en septembre, suivis par les Turcs en octobre, puis par les Autrichiens en novembre.

INCROYABLE !

Plus de 10 000 soldats sont morts le 10 novembre 1918, dernier jour de la guerre.

LES GRANDS PERSONNAGES DE LA GUERRE

Thomas Woodrow Wilson
(1856-1924)

Président des États-Unis de 1913 à 1921, il refuse jusqu'en 1917 d'engager son pays dans le conflit, puis finit par s'y résoudre. En janvier 1918, il propose un plan de paix en 14 points pour mettre fin à la Première Guerre mondiale et reconstruire l'Europe.

Philippe Pétain
(1856-1951)

Le général français Pétain parvient à protéger Verdun contre les Allemands. En 1917, il reprend en main les troupes après les premières mutineries. Il est un héros de la Première Guerre mondiale.

Georges Clemenceau
(1841-1929)

Surnommé « le Tigre » en raison de son intransigeance, ce patriote français devient président du Conseil en 1917. Il multiplie les visites au front et combat le défaitisme des troupes. Après la victoire, il négocie le traité de Versailles en 1919.

Paul Von Hindenburg
(1847-1934)

Ce maréchal allemand remporte des victoires contre les Russes à Tannenberg (août 1914), aux lacs Mazures (septembre 1914), puis en Pologne et en Lituanie (1915). Ces victoires, malgré la défaite finale, lui valent un grand prestige.

Lénine
(1870-1924)

Après avoir renversé le gouvernement en Russie en novembre 1917, Lénine, le chef des bolcheviks, décide de négocier la paix avec les Allemands. Il doit lutter contre les partisans de l'ancien régime dans une guerre civile qui va durer plusieurs années.

Ferdinand Foch
(1851-1929)

Cet officier français est nommé chef de toutes les forces alliées au printemps 1918. Ses victoires forcent l'Allemagne à demander l'armistice, signé le 11 novembre 1918.

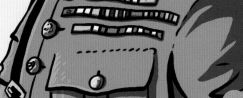

Quel est le bilan de la Grande Guerre ?

C'est le plus grand désastre humain, matériel, économique et financier de l'histoire de l'humanité. Après avoir dominé le monde pendant des siècles, l'Europe sort complètement épuisée du conflit.

Quelles sont les pertes humaines ?

Elles sont terribles : près de 10 millions de morts, et de nombreux blessés qui ne peuvent plus avoir aucune activité. Une vingtaine de millions de soldats sont amputés, gazés, aveugles ou gravement handicapés. Ceux qui ont eu une partie du visage arrachée par un éclat d'obus ou une balle sont surnommés « les gueules cassées ».

Quels sont les dégâts matériels ?

Les destructions touchent durement l'Europe balkanique, la Pologne orientale d'aujourd'hui, la Biélorussie actuelle, la Belgique et le nord de la France. La France doit reconstruire près de 300 000 habitations et 60 000 kilomètres de routes. La production agricole baisse de 20 % en France et de 40 % en Allemagne entre 1913 et 1919.

Pourquoi la société tout entière est-elle touchée ?

En 1918, 4 millions de veuves et 8 millions d'orphelins portent le deuil des disparus. Cette saignée va priver l'Europe d'un grand nombre de naissances et augmenter le nombre de jeunes filles qui ne vont pas trouver de mari. On les appelle les « veuves blanches ».

UNE GUERRE SANS ÉQUIVALENT DANS L'HISTOIRE

8 millions du côté des forces allemandes et de leurs alliés.

13 millions du côté des Alliés.

Au total, **73,8 millions** d'hommes sont **mobilisés** pendant la Grande Guerre.

13 % des soldats mobilisés **sont morts** au combat.

21 millions de soldats ont été blessés.

Les trois pays qui comptent le plus de morts et de disparus :

ALLEMAGNE
2 millions

RUSSIE
1,8 million

FRANCE
1,4 million

Les trois pays qui ont perdu la part la plus grande de leur **population active** :

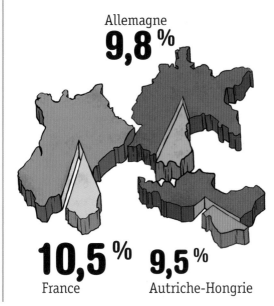

Allemagne **9,8 %**

10,5 % France

9,5 % Autriche-Hongrie

Production d'obus par le Royaume-Uni :

5 millions en 1914

67 millions en 1918

La production agricole baisse de :

20 % en France et de

40 % en Allemagne entre 1913 et 1919.

Que prévoient les traités de paix ?

Les vainqueurs veulent humilier les vaincus. Désignée comme seule responsable de la guerre, l'Allemagne perd plus de 10 % de son territoire, l'ensemble de ses colonies et s'engage à n'entretenir qu'une armée réduite.

Où est signé le traité de paix ?

Il y en a plusieurs, signés avec chaque adversaire des alliés. Le premier est conclu avec l'Allemagne dans la galerie des Glaces au château de Versailles en juin 1919. De septembre 1919 à août 1920, de nombreux autres traités seront signés avec l'Autriche-Hongrie, la Bulgarie, la Turquie...

INCROYABLE !

Le traité de Versailles, en retirant une partie de son territoire à l'Allemagne, lui a fait perdre 8 millions d'habitants !

Qui sont les grands vainqueurs de la guerre ?

La France et le Royaume-Uni ont gagné, mais ils ont dû s'endetter auprès des États-Unis pour payer les dépenses de guerre. L'Allemagne sort de la guerre affaiblie et humiliée par le traité de paix. L'Europe n'est donc plus la grande puissance qu'elle était. Ce sont les États-Unis qui sont les grands gagnants du conflit.

Cette guerre est-elle la dernière ?

Non. La majorité des pays vainqueurs avaient pourtant décidé de fonder un organisme international chargé de veiller au maintien de la paix dans le monde, la Société des Nations (SDN). Mais l'Allemagne et la Russie soviétique ne sont pas invitées à en faire partie, et les États-Unis n'y adhèrent pas ! Vingt et un ans après la tragédie de 1914-1918, une seconde guerre mondiale bouleversera de nouveau la planète.

POLOGNE

L'EUROPE EN 1920

Les empires russe et austro-hongrois sont démembrés. L'Empire ottoman se réduit à la Turquie et perd de nombreux territoires. Neuf États sont créés ou réapparaissent en Europe.

FINLANDE

NORVÈGE

SUÈDE

ESTONIE

LETTONIE

Moscou

DANEMARK

LITUANIE

Mer du Nord

ROYAUME-UNI DE GRANDE-BRETAGNE ET D'IRLANDE

Londres

PAYS-BAS

Berlin

RUSSIE (URSS à partir de 1922)

BELGIQUE

ALLEMAGNE

POLOGNE

Océan Atlantique

Paris

TCHÉCOSLOVAQUIE

SUISSE

Vienne

FRANCE

AUTRICHE

HONGRIE

ROYAUME DES SERBES, DES CROATES ET DES SLOVÈNES

ROUMANIE

Mer Noire

PORTUGAL

ITALIE

Sarajevo

ESPAGNE

Rome

BULGARIE

ALBANIE

GRÈCE

TURQUIE

Mer Méditerranée

1914

Royaume-Uni

Allemagne

Russie

France

Autriche-Hongrie

Espagne

Italie

Balkans

Empire ottoman

Vainqueurs	États neutres
Vaincus	Russie
Nouveaux États	Gains territoriaux

AFRIQUE DU NORD FRANÇAISE

LIBYE ITALIENNE

ÉGYPTE BRITANNIQUE

Textes Jean-Michel Billioud
Illustrations Cyrille Meyer
Maquette Stéphanie Ghinéa
Relecture historique Victor Louzon
Photogravure Irilys